Erich Staisch

Nostalgie in Dampf

Mit Witz und Federstrich durchs Dampflok-Jahrhundert

Hoffmann und Campe

1. bis 10. Tausend 1975
© Hoffmann und Campe Verlag, Hamburg 1975
Schutzumschlagentwurf: final art center, Hamburg
Layout: Elisabeth Staisch
ISBN 3-455-07480-4 · Printed in Germany

Vorwort

Mit der Aufnahme des elektrischen Zugbetriebes im großen Umfang waren die Tage der Dampflokomotive gezählt. Die schnelleren und wirtschaftlicheren Elektrolokomotiven haben ein Stück alte, vertraute Romantik verdrängt. Sang- und klanglos ging die Dampflok-Ära zu Ende, die eine Veränderung des ganzen Lebensgefüges eingeleitet hatte.

Über die Eisenbahn und ihre umwälzende Bedeutung ist schon viel geschrieben worden. Mit diesem Bändchen nun soll ein Bild entstehen, das Eisenbahngeschichte von einer anderen Seite zeigt. Längst verschüttete Zeitdokumente sollen selber sprechen. Sie zeigen uns humorvoll die menschliche Seite mit ihrem anfänglichen Unverständnis diesem neuen Phänomen gegenüber, den Startschwierigkeiten und dem Selbstverständnis, schließlich mit diesem „Gefährt" in der Freude und dem Stolz zu leben, mobiler zu sein als je zuvor.

Das Vorhaben, eine „Eisenbahngeschichte zum Schmunzeln" herauszugeben, war leichter ersonnen als in die Tat umgesetzt. Mehr als eine Million Seiten der englischen Zeitschriften „Engineering" und „The Punch", der satirischen Zeitung „Fliegende Blätter" und sämtliche Jahrgänge der „Zeitung des Vereins Deutscher Eisenbahn-Verwaltungen" bis zur Jahrhundertwende waren durchzuforsten. Bei dieser Arbeit entdeckte ich etwa 1200 Cartoons, von denen ich rund 15 Dutzend für dieses Büchlein ausgewählt habe.

Vielleicht wird durch die Cartoons Ihr Interesse geweckt, mehr über die Hintergründe zu erfahren, auf denen solche Bilder entstehen konnten. Diese Gelegenheit, sich über Einzelheiten und Zusammenhänge der Eisenbahngeschichte in aller Welt zu informieren, haben Sie in einem zweiten Band „Nostalgie in Dampf", der in gleicher äußerer Aufmachung in Kürze erscheint.

Für das Zustandekommen des vorliegenden Buches bin ich zum Dank verpflichtet Herrn Prof. Dr. Walter Hävernick, dem ehemaligen Direktor des Museums für Hamburgische Geschichte, der Bundesbahndirektion Hamburg sowie der Hamburger Kunsthalle.

In Hamburg ging am 6. April 1965 die Dampflokzeit zu Ende, ein guter Anlaß, nach 10 Jahren einen nostalgischen Blick zurückzuwerfen — in Sehnsucht nach der nicht mehr zurückzuholenden lieben alten Dampflokzeit.

Erich Staisch

Hamburg, am 6. April 1975

Bevor es bei uns dampfte

Kutscher: „Willst aufsteigen?" — „Nein danke, heut' hab' ich's eilig!"

„Viel Glück auf Ihrer Hochzeitsreise. Doch sagen Sie, wo ist denn die Frau Ge-
mahlin?" „Ach, wissen Sie, bei den heutigen Preisen kann sich ein Schulmeister
eine Hochzeitsreise zu z w e i t nicht leisten."

„Kutscher, sind wir schon da?"

Die Eisenbahn kommt

„Hast schon gehört? — „Ja — und ohne Pferde!" — „Alles Lüge!"

9

Eisenbahnvermessung. „Also, meine Herren, hier entlang.“ „Aber, Herr Ingenieur, warum denn durchs Fenster und über mein Bett? Wäre es für die Eisenbahn nicht bequemer, die Tür zu nehmen?“

„Herr Eisenbahningenieur, warum bauen Sie eigentlich die Bahn mitten durchs Gebirge und nicht auf ebenem Terrain?" „Ja, was glauben Sie wohl, weshalb ich solange Hochbau studiert habe."

11

Beim Abschied: „Hüte mir das Haus, und laß vor allem keine Eisenbahnvermesser aufs Grundstück!"

Nach der Heimkehr: „Um Himmelswillen, wo ist denn mein Haus geblieben? Es ist ja nichts mehr da!" „Beruhigen Sie sich doch, ich habe wenigstens den Schlüssel für Sie aufbewahrt."

Die unterlassene Kehrtwendung zur Lokomotive: „ . . . sei gegrüßt, du schnaubendes Dampfroß!"

13

„Wußt ich's doch, daß es ohne Pferde nicht geht!"

„Herr Ingenieur, warum wird denn auf der Eisenbahn noch nicht gefahren? Es ist doch alles fertig!" „Das versteht Ihr nicht, seht, solange diese Bahn nicht in Betrieb gesetzt wird, spart der Staat alle Tage 2000 Mark an Subventionen."

15

Vor der Abfahrt

Zubringer-Omnibus — damals

Was war das einmal für ein Leben,
Es konnte gar nichts Schön'res geben,
Zu Rosse hoch, wie auf dem Thron
Saß ich der schmucke Postillon.

Was macht' ich da für schöne Reisen,
Was blies ich da für munt're Weisen,
Und alle Mädchen nah und fern,
Wie hatten die den Schwager gern.

Was gab es da für süßes Küssen,
Es mag's der liebe Himmel wissen!
Wo Sang und Tanz, war ich dabei
Die Zeiten leider sind vorbei.

Die Mädchen nimmer nach mir fragen;
Ich sitze nun auf meinem Wagen,
Und bring' und hole dann und wann
Die Briefe zu und von der Bahn.

Der einz'gen Gretel noch von Allen,
Der hatte ich bis jetzt gefallen,
Jetzt liebt auch sie mich nimmermehr,
Sie schwärmt für einen Conducteur.

Der Dampf hat mir das angerichtet,
Ich hab' auf Alles schon verzichtet,
Die Eisenbahn, die ist mein Zorn —
Jetzt blas' ich Trübsal auf dem Horn!

„Das erlebt man wohl nicht mehr, daß der Zug noch kommt." „Aber ich bitte Sie, Sie sind doch noch ein junger Mann!"

Aus einem Eisenbahn-Betriebsreglement: „Für Kinder, die noch getragen werden, ist keine Fahrkarte erforderlich.“

„3 Mark kostet Ihre Fahrkarte." „Schauen'S, eben hat der Seppel ein Zehnmark-
stück verschluckt. Glauben'S, daß es wieder zum Vorschein kommt?" „Aber sicher",
sagt der Verkäufer. „Bitt'schön, können'S den Seppel dann nicht hierbehalten und
mir schon die sieben Mark 'rausgeben?"

Aufforderung zum Einsteigen auf bayerisch, wörtlich genommen: „Richtung Augs-
burg bitte rückwärts einsteigen!"

21

„Herr Kondukteur, das ist wirklich ungerecht auf Ihrer Bahn. Für meinen kleinen Fifi muß ich den halben Fahrpreis bezahlen und diese erbärmlich quiekenden Schweine fahren bei Ihnen frei . . ."

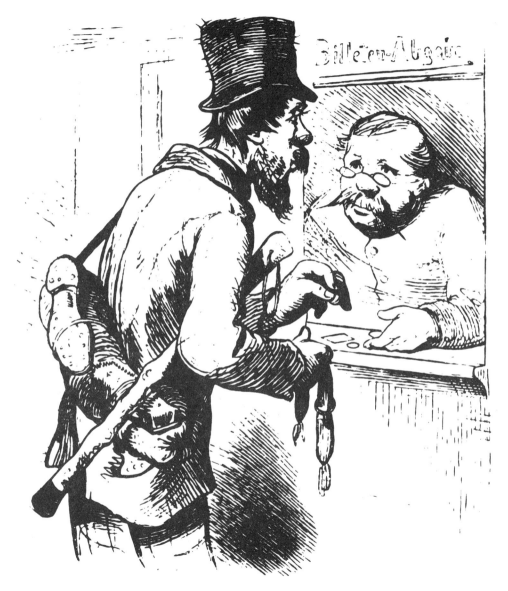

... und die Konsequenz: „Was, Schweine kosten nichts und Hunde nur den halben Fahrpreis? Dann würde ich gern als Schweinehund fahren."

Här'n Se, Herr Lokomotivfierer, wär'n Se wohl so freindlich und legten die zwee Siedewärschtchen in'n Dampfkessel?! Wenn mer in Dräsden ankomm'n, hol' ich se wieder!"

Er ist so sehr „auf den Hund gekommen", daß er nur noch im Hundeabteil fahren kann.

"Das soll kein Schoßhund sein? Und worauf liegt denn unser Kleiner?"

28

„Die dürft Ihr aber nicht zu eng verladen, es ist ja kein Personenwagen."

Die Kraftprobe

„Laß' mich zufrieden mit eurer Staatsbahn, unser Lokomotivle raucht viel besser."

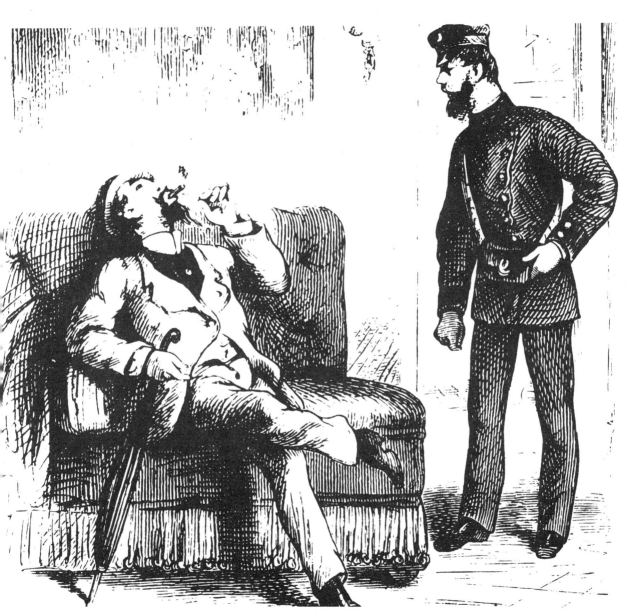

Im Wartesaal. „Fahrkarte? Wieso? Ich w a r t e 1. Klasse."

33

„Könnten Sie dafür sorgen, daß ich mit meiner Frau nicht alleine im Abteil bleibe?"

34

„Sie wollen alleine bleiben? Da haben Sie Glück, die anderen
Herrschaften wollen es auch!"

„Verspätung? Wat is det?"

Reisender zum Zugführer: „Lieber Mann, nehmen sie als Zeichen meiner Dankbarkeit eine Zigarre. Viele Jahre fahre ich schon auf dieser Strecke. Heute ist der Zug zum ersten Male pünktlich." Zugführer: „Mein Herr, das scheint mir eine gute Zigarre zu sein, und ich bin leidenschaftlicher Raucher. Aber ich kann sie nicht unter falschen Voraussetzungen annehmen. Das ist nicht der Zug von heute — es ist der von gestern."

Bauersfrau, die auf einer kleinen Station einsteigen will und bemerkt, daß sämtliche Wagen unbesetzt sind: „Meinetwegen brauchts euch keine Unkosten z'machen, i kann ja auch morgen fahren."

„Herr Kondukteur, es ist kein Platz mehr im Zuge. Werden noch Wagen ange-
hängt?" „Wagen sind's genug, nur Reisende sind's zuviel."

Cleverness. „Zeitung gefällig?" „Ich kann nicht lesen." „Dann vielleicht ein Bilderbuch."

Auf der Hochzeitsreise. Er: „Endlich allein."

41

„Heute kriegen wir wieder eine halbe Stunde Verspätung, der Dackel vom Förster muß ins Hundeabteil."

Abschied der Schwiegermutter am Bahnsteig. „So, Kinder, nun sind die schönen Tage vorbei." „Ach, Oma, das kenn' ich, weil's der Papa auch gesagt hat, aber bevor du gekommen bist."

„So, nun geben Sie sich schon endlich einen Kuß, wir wollen abfahren." „Ist das Vorschrift, Herr Kondukteur?"

44

„Bitte, können Sie uns in den Wagen — heben?"

„Na, Kamerad, heute im Damenabteil?" „Nee, erst ein solches jeworden, seitdem
i c k hier bin."

„Bitte, einmal Damencoupé." „Bedaure, das Schatzkästle ist schon voll."

47

„Damenabteil gefällig?" „Na, Männeken, ick bin doch keene olle
Schachtel."

„Dritte Klasse?" „Nein, Sekundaner."

„Ein Billett für mich und 2 Kinderbilletts für meine zwei Söhnchen."
„Aber entschuldigen Sie, der junge Mann ist doch bestimmt über
10 Jahre alt." „Ja, er ist 14, aber der Kleine ist erst 5. Wenn Sie's zu-
sammenrechnen, sind sie beide unter 10."

Fahrkartenverkäufer: „Haben Sie kein Kleingeld?" „Bedaure, Mitgift nur in großen Scheinen erhalten."

„Wann kommt denn der Zug eigentlich?" „Er wird schon noch kommen, wenn die Lokomotive nicht wieder ein Seitenhupferl gemacht hat."

Schwiegermutter zum Schwiegersohn, der sie auf den Bahnhof begleitet und sich zwingt, recht betrübt auszusehen: „Deine Traurigkeit, lieber Hugo, macht mir das Herz ordentlich schwer. Weißt du, ich fahre nicht ab und bleibe noch ein paar Wochen bei euch."

Schaffner: „Alles voll hier?" „Ich ja."

„Du kriegst die Tür nicht zu — solange ich meine Hand dazwischenhalte."

„Gustav, stell' den Fuß davor, ich muß noch mit!"

„In Tupfing ist Kirmes, da haben wir vorsichtshalber einen Raufwagen beigestellt."

„Warum geht's denn nicht weiter?" „Ja, die Alte vom Lokomotivführer tratscht im Gleis, und er wagt nicht, zu pfeifen."

„Einsteigen bitte, die Abfahrtzeit ist da." „Was ist denn das? Dem Glücklichen schlägt keine Stunde."

59

Ein Engländer will durchaus noch mit, nachdem der Zug schon angefahren ist. Der Kondukteur hält ihn am Arm fest mit der Bemerkung, es sei schon zu gefährlich, noch einzusteigen. „What, gefährlich?" erwidert der Engländer, „ich sein Menschenfreund, Sie auch dableiben!"

„Eine Schande ist das, einer so kleinen Lokomotive gleich 30 Wagen anzuhängen."

„Da hast du's! Gibst dem Schaffner eine Handvoll Zigarren, damit er uns allein lassen soll, und gleich auf der nächsten Station besetzt er das Coupé bis auf den letzten Platz!" „Er wird halt unterwegs eine angezündet haben."

„Fräulein — — — verreisen Sie auch?"

63

Bauersfrau unterwegs. Auf jeder Station fragt sie den Schaffner, ob sie denn schon in Radbruch wäre. Gerade als der Zug in Radbruch abfahren soll, entdeckt der Schaffner zu seinem Entsetzen die Bauersfrau noch im Zuge. „Ja, was ist denn, Sie wollten doch hier aussteigen?!" „Nein, das nicht, nur — mein Doktor, der hat mir gesagt, hier soll ich meine Medizin einnehmen."

Die schöne Aussicht. „Um Gotteswillen, tun S'
doch schnell Ihren Kopf 'rein!" „Ja, warum
denn?" „Damit ich meinen 'nausstecken kann!"

Das Betreten
der Bahngeleise
ist
streng verboten

66

Stoßbetrieb auf der Secundärbahn

Ein Mann aus Texas wollte einem Iren einen Begriff über die Größe seines Heimatstaates geben und sagte: „Sie können bei Morgengrauen in Texas in einen Zug steigen und vierundzwanzig Stunden später sind Sie noch immer in Texas."
Der Ire nickte: „Bei uns sind die Züge auch nicht besser . . ."

Angenehme Fahrt. „Denk' dir", sagt ein Schüler, „gestern war mein Zug so über-
füllt, daß ich die ganze Strecke stehen mußte." „Ach, das ist ja noch gar nichts",
sagt ein anderer Schüler, „in meinem Coupé fuhr außer mir nur noch unser Latein-
lehrer, aber der hat mich die ganze Zeit über examiniert."

„Warum halten wir schon wieder?" „Na, denken Sie denn, unser Lokführer will naß werden?"

69

„Der kann bestimmt nicht stolz sein auf seine Vorfahren!"

„Wieso nur drei Fahrkarten — und der da oben?" „Das ist unser Handgepäck!"

Ein Passagier verläßt auf einer Kleinbahnstation das ungeheizte Coupé, um sich durch Auf- und Abgehen zu erwärmen. Da ihm der Aufenthalt ungewöhnlich lang erscheint, fragt er endlich ungeduldig: „Auf was warten wir denn eigentlich, Herr Kondukteur?" „Wir warten nur auf — Sie!"

Ein dem Personal nicht persönlich bekannter Eisenbahndirektor unternimmt eine Inspektionsreise. Unter der Hand erfährt man aber doch davon. Auf dem ersten Haltepunkt ergibt sich folgendes Gespräch zwischen dem Direktor und dem Schaffner: „Sagen Sie, Schaffner, kann man hier einmal aussteigen, um ein Glas Bier zu trinken?" „Sonst schon, heut' aber nicht, denn es soll so ein hohes Tier im Zuge sein."

Süddeutscher: „Herrje, was ist das heute kalt!" Berliner: „Det is doch keene Kälte nich! Bei uns in Berlin sind wir an 24 Grad jewöhnt." Süddeutscher: „Ich dank' schön, ich habe schon heute genug an den 9 Grad." Berliner: „Wat, 9 Grad? Bei 9 Grad, da taut es bei uns in Berlin!"

Streng nach Vorschrift! Ein Sonderzug der Kleinbahn wird unterwegs von einem
Gewitter überrascht. Der Zugführer läßt anhalten und alle Reisenden aussteigen,
denn „Lustfahrten finden nur bei gutem Wetter statt".

„Mama, der Mann, der eben ausstieg, hat mich im Tunnel geküßt." „Aber, Kind, warum hast du das nicht früher gesagt? Ich hätte das der Bahnhofspolizei gemeldet." „Ich dachte — es käme noch ein zweiter Tunnel."

„Schau doch nicht dauernd aus dem Fenster, sonst merken die Leute noch, daß wir zum ersten Male verreisen."

Kleinbahn mit Verstärkungswagen, oder wie man sich bei Massenandrang
helfen kann.

„Warum fährt denn heut' die Eisenbahn so schnell?" „Siehst du nicht, daß schon andauernd der Schneider hinter dem Lokführer her ist?"

Die Secundärbahn.

Bekannt im Ländle weit und breit
    Durch ihre große Pünktlichkeit
Und ihr geschwindes Läufele
Ist d' Secundärbahn Neuffele.

Des Morgens, wenn der Tag kaum
                            graut,
Wird's auf dem Bahnhof auch schon
                            laut,
Und schrill ertönt das Pfeifele
Der Secundärbahn Neuffele.

Und ist gar ein Coupé besetzt,
Der Schaffner seine Lochzang' wetzt;
Und hin saust wie ein Teufele
Die Secundärbahn Neuffele.

Läßt auch die Schnelligkeit bald nach,
Dem Zuge keinen Vorwurf mach';
Es muß sich doch verschnäufele
Die Secundärbahn Neuffele!

80

Der Sonntagsausflug für Verliebte

Wie sich der Huber Franzl den Sonderzug für eine Jagdgesellschaft vorstellt

„Sie sind Parforce-Jäger?" (Hetzjagd) „Ja, warum?" „Ich meine — weil Sie so
wenig vom Anstand halten."

83

Der einzige Passagier beim Aufenthalt auf der Station zum Zugpersonal: „Meine Herren, kann man rasch ins Dorf gehen und ein Glas Bier trinken?" „Gerade wollten wir S i e fragen, ob Sie soviel Zeit hätten — wir wollten nämlich auch hin."

84

Verbundarbeit

„Wie rücksichtslos! Könnten Sie bei dieser Kälte nicht wenigstens den Winterfahrplan abnehmen?"

„Himmel! Das rumpelt so arg auf den Schienen, daß meine Milch zu Butter geschlagen wird."

Der fortschrittliche Schulmeister. Er läßt den Zug auf freier Strecke halten, damit seine Kinder die moderne Technik in Ruhe betrachten können.

Ein reicher Engländer beobachtet von seinem Coupé aus, wie ein junges Mädchen auf einer Wiese Purzelbäume schlägt. Hingerissen von der Grazie heiratet er sie vom Fleck weg. Seit dieser Zeit sieht man Tag für Tag beim Vorüberfahren die ganze Bahnlinie entlang junge Mädchen — Purzelbäume schlagen.

Zugkräftiger Service

„Warum zucken Sie immer zusammen: Stört es Sie, daß ich rauche?" „Nein, ich hab' an sich nichts dagegen, nur — denk' ich halt immer an mein Schwarzpulver unter der Bank."

Schreiben der Vicinalbahn-Direktion
an die Herren Grundbesitzer und Landwirthe.

Die Herren Besitzer der an unseren Bahndamm angrenzenden Felder und Triften ersuchen wir, im Interesse eines geregelten Verkehrs, das Ansäen von Kleesamen auf genannten Grundbesitzen thunlichst zu vermeiden, da es wiederholt vorgekommen, daß durch das Suchen „vierblätteriger Kleeblätter" seitens der Passagiere unliebsame Verkehrsstörungen Platz gegriffen haben

Die Direktion
des Personen- und Güterverkehrs der Vicinalbahn.

Der kinderfreundliche Lokomotivführer

„Weshalb hängt denn der Fahrplan so ungeschickt h i n t e r dem Buffet? Da muß man sich ja regelrecht über den Wurstkessel beugen!" Bahnhofswirt: „So ungeschickt, verstehen Sie bitte, finde ich das nicht, denn auf diese Art und Weise habe ich schon so manches Paar Würstchen mehr als früher verkauft."

94

„Wie, Sie sind auch mitgekommen, Frau Bas?!" „Ja, ich hab' meinen Mann auf d' Bahn 'bracht, und überm Abschiednehmen bin ich halt so in Gedanken bis hierher neben dem Zug her'gangen!"

Bericht aus Amerika: „. . . Well, ich sah das Kind — ich sah den Zug — mein Lasso, denke ich, und — ein voller Erfolg! Zwar entgleiste der Zug und 200 Menschen verunglückten, aber — ich hatte das Kind gerettet.“

Warum Lokomotivführer auch mit Pferdepeitschen ausgerüstet werden

„Vater, warum ist denn die Schranke da?" „Damit halt der Zug nicht überfahren wird."

Game-Promotion zur Umsatzsteigerung vor 100 Jahren

Bekanntmachung
am Bahnhofe einer Vicinalbahn.

Da unser Beschwerdebuch voll ist, wird dem verehrlichen reisenden Publikum nahegelegt, fernerhin Einträge zu unterlassen; jedoch kann bei besonderen wichtigen Fällen die betreffende Beschwerde, welche jedenfalls schon einmal eingetragen ist, unterstrichen werden.

~~~~~~

Bei Sturmwind und an „kritischen Tagen erster Ordnung" verkehren keine Züge.

Passagier: „Was ist denn geschehen? Warum hält der Zug?" Kondukteur: „E' Zu-
sammenstößle hat's gebe, und da raufe die zwei Lokomotivführer jetzt mitanand!"

„So — jetzt ist der Hut
weg", sagt der Vater.
„Der neue Hut", Karl-
chen ist untröstlich.

„Nun sei 'mal ganz still, Papi kann zaubern. Ich pfeife — siehst — da ist er wieder."

... nach ein paar Minuten: „Papi, pfeif' bitte noch einmal!"

„Dös hätt' mi' aber g'freut, wenn dem Kerl mit seiner Lokomotiv'
das passiert wär'!"

„Die Buben da oben haben in den Schornstein gespuckt, und da ist uns das Feuer ausgegangen."

Auf de schwäb'sche Eisebahne

Auf de schwäb'sche Eisebahne wollt e mol e Bäuerle fahre, geht zum Schalter,
lupft de Huet: „E Billetle, seid so guet!"
Eine Geiß hat er sich kaufet, un daß er ihm nit entlaufet, bindet ihn der guete Ma,
an de hintre Wage a.
„Böckle, muscht nu weidli springe, 's Futter will i dir schon bringe."
Zünd't sei Tabakspfeife a, setzt sich zu sei'm Weibli na.

Wie der Zug nu dhut akemma un der Baur de Bock will nemma, da find't er nur
Kopf und Seil an dem hintre Wagedeil.

Da kriegt er en große Zorne, nimmt de Geiskopp bei de Horne, schmeißet, was er
schmeiße ka'n Kondukteur an Schädel na.

„So, du kannst de Schade zahle, warum bist so schnell g'fahre, do olloin bist
schuld dara, daß i d' Geiß verlaure ha."

Freundlicher Empfang: „Wildes Schwein!" . . . „Goldner Ochs!" . . . „Weißes Roß!"
. . . „Grüner Affe!"

Student einer schlagenden Verbindung: „Mein Herr, Sie haben mich eben fixiert. Ich stehe zu Ihrer Verfügung." „O fein, dann tragen Sie mein Gepäck."

„Er wird gewiß gleich kommen, seh'n'S, der Hund des Lokführers ist schon da —
und der läuft dem Zug immer voraus."

Die Ankunft der Tante. „Na, mein Junge, was hat denn dein Vater dazu gesagt, daß ich meine Ferien bei euch verbringen will?" „Ich bin doch kein Enfant terrible, das verrate ich nicht."

„Um Gottes Willen, geh' sofort aus dem Gleis!" „Warum? Ich bin doch
der Prellbock."

Der Pastor auf Reisen. „Wo ist, bitte schön, die Expedition der irdischen Güter?"

„Warum halten wir, obwohl die Strecke frei ist?" „Ja, sehen Sie, heute sind wir zum ersten Mal pünktlich, und darauf ist bestimmt niemand auf der nächsten Station eingerichtet."

Die Angeber. „Los, hinterher! Jetzt denken die alle, das ist unser Geldschrank."

„Verflixt, det och noch! Drei Monate hab' ick ihn nich uffjehabt, jetzt paßt er nich mehr, und der Zug mit mener Ollen is schon in Sicht."

Zwei Taschendiebe unter sich: „Det jibt's doch nich, jemand hat unser Plakat ein-
jerissen. Wo sonst können wir so erfolgreich sein wie hier, wo doch die Leute
sofort beim Lesen nach ihren Brieftaschen jreifen — und uns zeijen, wo sie sie
stecken haben."

„Herr Vorsteher, der neue grüne Wagen läuft ausgezeichnet." „Na, prima, morgen streichen wir alle anderen auch grün an."

„Lokomotivführer, wo ist der Kondukteur geblieben?" „Entschuldigen Sie, Sir, den haben die Reisenden der 1. Klasse unterwegs verspeist."

Warum rennt der Schaffner so schnell...

... weil er in Oberniedertupfing gleichzeitig Vorsteher ist.

„Was sind denn das für Menschen, die den Herrn Grafen erwarten?"
„Alles Gläubiger!"

„Halt, euer Billet!" — „Dös muaßt'S ma' scho' lassen, sunst moant mei' Alte
i war z' Fuaß ganga und hätt's Geld untawegs vasoff'n!"

125

„In einem Sauwagen fahre ich nicht!"

sauvage = frz. Gelegenheits-/Sonderfahrt

„Papa, hast du mir 'was mitgebracht?" „Oh, das tut mir aber leid, vor lauter Geschäften habe ich das ganz vergessen." „Und das hab' ich nun von meinem Artigsein! Was hätt' ich in den zwei Tagen nicht alles anstellen können!"

„Haben Sie festgestellt, Liesel, daß mein Mann während meiner Abwesenheit Sehnsucht nach mir hatte?" „Die erste Zeit hab' ich nichts bemerkt — aber die letzten Tage — da war er recht niedergeschlagen!"

„Ach, möchten Sie nicht noch einige Minuten hier stehenbleiben?" „Warum denn?"
„Sie sind doch Dienstmann Nr. 13 und ausgerechnet Sie haben wir uns als Treff-
punkt ausgesucht."

Er war in der Stadt

Auf ihrer ersten Reise. „Eigentlich haben wir uns unser Zimmer
etwas größer vorgestellt."

131

Der Sonntagsausflug zum Einsiedler

„Ist das Ei auch frisch?" „Eigentlich sollte es erst morgen gelegt werden."

133

„Die Herrschaften werden heute in dem Zimmer schlafen, in dem schon Goethe
übernachtet hat." „Det hätt' sich d e r och nicht träumen lassen."

„200 Frachtbriefe hab' ich heut' schon abgestempelt. Die werden sich noch wundern, wenn ich erst in Pension geh'!"

„Ist das nicht zu langweilig für einen Bahnwärter, den ganzen Tag nur ein Zug?"
„Jaaa — aber vor dem ist man den ganzen Tag nicht sicher."

Die Ferienerlebnisse des Herrn Bahnhofsvorstehers. „Was, in diesem langweiligen Nest waren Sie!" „Was heißt langweilig? Amüsiert habe ich mich wie noch nie, den ganzen Tag bis tief in die Nacht hinein. Schon in aller Frühe habe ich mich an das Bahngleis gesetzt und auf die Züge gewartet. Und immer, wenn einer gekommen ist, hab' ich mich vor lauter Freude nicht halten können. Hallo, rief ich laut, wieder einer, mit dem du nichts zu tun hast!"

137

138

Ordination auf Distanz

„Ich habe heute keine Zeit,
　　Doch fahre ich vorbei
In ein paar Stunden mit dem Zug
　　Am Posten „Nummer Zwei."

Sagt's Euerm Mann. Ist er's im Stand,
　　Soll vor dem Haus er steh'n,
Daß im Vorüberfahren ich
　　Ihn schnell mir kann beseh'n!"

So spricht zur Frau Bahnwärterin
　　Der Bahnarzt, und sie dankt
Und eilt zur Hütte „Nummer Zwei",
　　In der ihr Mann erkrankt.

Nun wußte Der, daß wenn ein Arzt
　　Den Kranken visitirt,
Er sich die Zunge zeigen läßt,
　　Und dann erst ordinirt.

Wie nun der Bahnzug kommt vorbei,
　　Stellt er sich vor sein Haus
Und streckt so gut er strecken kann,
　　Die Zunge weit heraus.

Der Bahnarzt winkt ihm freundlich zu,
　　„Nun weiß ich schon genug!"
Doch sieht den Unfug, zornerfüllt,
　　Der Führer auch vom Zug.

Er zeigt es an per Telegramm
　　Der Bahnamtspolizei:
„Dem Zuge hat die Zung' gebleckt
　　Der Posten „Nummer Zwei."

Der Posten wurde streng bestraft
　　Ob der Impertinence,
Doch auch dem Bahnarzt untersagt
　　Das Doktern par distance.

Wie der Herr Kondukteur seinen Kindern das Laufen beibringt

„Sind Sie noch immer an der Glocke? Warum avancieren Sie nicht?" „Ja, wissen
Se, man kann halt keenen finden, der so schön läutet wie ick!"

Zugführer, als sich ein Wagen seines Zuges loskoppelt und im Gefälle abwärts-
saust: „Wer hätte das unserem alten Wagen zugetraut, daß der noch so gut
laufen kann!"

„Mein Sohn betreibt in Hamburg ein frequentes Wechselgeschäft —
er ist Weichensteller."

**Wie der Bahnwärter
Moser die verschiedenen
Züge erwartet:**

3. Personenzug

1. Luxuszug

2. D-Zug

4. Güterzug

145

In Konkurrenz zur Eisenbahn — mit Bärenkräften

1885: Und so wird der Stadtverkehr in 100 Jahren aussehen

Eisenbahnbrücke in Indien

Das Fahr-Rad für Individualisten

Wie man Zug-Zusammenstöße verhindern wollte

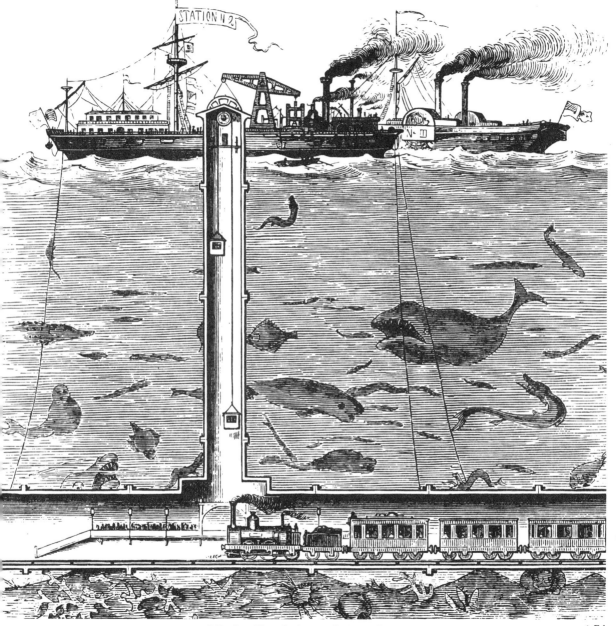

Mit der Eisenbahn nach Amerika

Die praktische Brücken-Aufhängung

Eine Eisenbahn-Safari quer durch Afrika

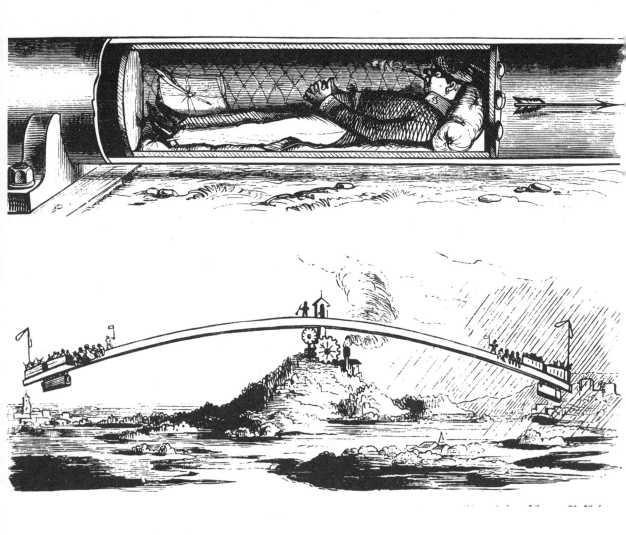

Neue Verkehrssysteme Anno 1870

„Ein Pferd! Ein Pferd!" — Zukunftsvision vor 100 Jahren

„Warte nur, mein Lieber, eines Tages fahre auch ich in einer solchen Benzin-
kutsche. Dann werd' ich's dir heimzahlen!"